Maire - M. pepin

Maire - M. pepin

TOME 2 - LES TOURS DE MEIRRION

SCÉNARIO
CHRISTOPHE ARLESTON

DESSIN
DIDIER TARQUIN

COULEURS
CLAUDE GUTH

SI VOUS N'AVEZ PAS ENCORE LU LE CYCLE DES AVENTURES DE *LANFEUST DE TROY*, IL EST SANS DOUTE JUDICIEUX DE FAIRE CONNAISSANCE AVEC NOS PRINCIPAUX PERSONNAGES ...

LANFEUST EST NOTRE HÉROS. GRÂCE AU MYTHIQUE MAGOHAMOTH, CE GRAND DADAIS POSSÈDE D'IMMENSES POUVOIRS. DE JEUNE APPRENTI FORGERON UN PEU EMPÔTÉ, IL EST DEVENU LE SAUVEUR DE SON MONDE ET PEUT-ÊTRE MÊME DE LA GALAXIE. MAIS IL EST TOUJOURS AUSSI TIMIDE ET IL NE SAIT PAS DIRE NON À SA FIANCÉE, LA BELLE CIXI.

CIXI, BELLE ET FAROUCHE BRUNETTE, EST UNE JEUNE FILLE DANGEREUSE. ELLE A PROUVÉ SON COURAGE ET SES TALENTS DE COMBATTANTE. CE QUI NE L'EMPÊCHE PAS D'ÊTRE COQUETTE, D'APPRÉCIER LA LÉGÈRETÉ, ET SURTOUT D'ÊTRE D'UNE JALOUSIE MALADIVE, DÈS QU'UNE AUTRE FILLE S'APPROCHE DE SON FIANCÉ *LANFEUST*.

HÉBUS EST UN TROLL ... ET ÇA SE VOIT. CRÉATURE REDOUTABLE ET IMPITOYABLE, IL PEUT, D'UN SIMPLE COUP DE DENTS, BRISER LES OS DE N'IMPORTE QUEL DRAGON. JOYEUX COMPAGNON ET BON VIVANT, IL NE CRAINT QU'UNE CHOSE, L'EAU. ÇA POURRAIT LE LAVER, ET SES MOUCHES EN SERAIENT FÂCHÉES.

SWIIP EST UN ORGNOBI. CES CRÉATURES PEUVENT VIVRE DES MILLÉNAIRES, ET LEUR SAVOIR COMME LEUR SAGESSE SONT IMMENSES. LES ORGNOBIS SONT RARES ET RECHERCHÉS, ET *SWIIP*, RÉVEILLÉ D'UNE LONGUE STASE PAR *LANFEUST*, A DÉCIDÉ DE METTRE SES CONNAISSANCES AU SERVICE DE NOS AMIS.

THANOS EST UN PERSONNAGE SÉDUISANT MAIS DANGEREUX. PIRATE, BARON FÉLON, SAGE DÉFROQUÉ, ANCIEN AMANT DE *CIXI*, IL POSSÈDE LES MÊMES POUVOIRS QUE *LANFEUST*. L'INQUIÉTANT PRINCE *DHELLUS* EN A FAIT SON CHIEN DE TRAQUE CHARGÉ D'ÉLIMINER NOTRE HÉROS.

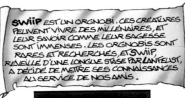

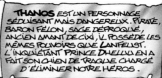

GLACE EST L'UN DES AGENTS LES PLUS EFFICACES DE *DHELLUS*. CETTE JEUNE FEMME SANS COMPLEXES EST UNE REDOUTABLE GUERRIÈRE ET UNE CROQUEUSE D'HOMMES, ET ELLE GOÛTERAIT BIEN À *LANFEUST*. ASSOCIÉE À *THANOS*, ELLE EST LANCÉE À LA POURSUITE DE NOS AMIS.

DHELLUS, UN DES TREIZE PRINCES MARCHANDS DE MEIRRION, CACHE EN FAIT UNE CRÉATURE PLUS DANGEREUSE QU'IL NE PARAÎT. CE MANIPULATEUR NE SE CONTENTE PAS D'ÊTRE LE PROPRIÉTAIRE DE TROY ET DE SES HABITANTS, ET IL SEMBLE QUE SES AMBITIONS METTENT EN PÉRIL LA GALAXIE ENTIÈRE ...

© GÉRONIMO / ARLESTON / TARQUIN
Soleil Productions
Le Grand Hôtel, Place de la Liberté
83000 Toulon - France

Bureaux parisiens
81, Bd Richard Lenoir - 75011 Paris - France
Conception et réalisation graphique : Studio Soleil.
Direction artistique : Didier Gonord.
Lettrage : Guy Mathias

Dépôt légal mars 2003 - ISBN : 2 - 84565 - 405 - 7
*Tous droits de traduction, d'adaptation
et de reproduction strictement réservés pour tous pays.*

Photogravure : Quadriscan - 04 - France
Impression : Lesaffre - Tournai - Belgique

3

4

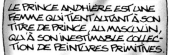

DEPUIS PLUSIEURS SIÈCLES, LA PRINCESSE ELPHELI SE DONNE BEAUCOUP DE MAL POUR CONSERVER DES AIRS D'ADOLESCENTE. LE PRINCE PORHO, UN PHLYTOSQUE, N'A PAS CETTE COQUETTERIE.

LE PRINCE ANDHIÈRE EST UNE FEMME QUI TIENT AUTANT À SON TITRE DE PRINCE, AU MASCULIN, QU'À SON INESTIMABLE COLLECTION DE PEINTURES PRIMITIVES.

LE PRINCE KHONZOR EST UN HOMME DISCRET, TATOUÉ DU SIGNE DES TREIZE, ET LE PRINCE DHEGALL EST SANS DOUTE LE PLUS COMMERÇANT DES YUUKAS.

VOUS N'AVEZ PAS ENTENDU COMME UN BRUIT, LÀ ?

UN GENRE DE VIBRATION ODORANTE, OUI.

LE PRINCE HEVANT CROIT EN LA MAGIE, ALORS QUE LE PRINCE RAINGHEY CROIT AUX GRANDS CRUS MILLÉSIMÉS. LE PRINCE LHEPTY, UN TODMARVE, PRODUIT PARFOIS SES PROPRES PERLES...

LE PRINCE LADHAL, COMME TOUS LES BHADOÜA, EST UN AQUATIQUE. HORS DE SES BASSINS, IL SE DÉPLACE DANS UNE BULLE TENUE PAR UN CHAMP DE FORCES.

HO!

OUCH!

DHEMONAQ EST LE PLUS ÉTRANGE DES PRINCES. CET ASSEMBLAGE BIOMÉCANIQUE ABRITE DES COLONIES D'ACIDES MOLÉCULAIRES INTELLIGENTS.

LA PRINCESSE OPHRÉDLA EST AUSSI BELLE QUE CRUELLE, ALORS QUE LE PRINCE CENRHYR, UN VIEUX BLORE, EST COMPLÈTEMENT DÉPENDANT DU PLUS PUISSANT DES PRINCES...

DHELLU LUI-MÊME.

VOTRE AMI AURAIT-IL EU UNE PETITE FRAYEUR ?

SLURP!

AÏE! PUI!

JE SUIS AFFREUSEMENT CONFUS, JE...

...J'ÉTAIS RESTÉ EN CUISINE POUR NE PAS VOUS GÊNER ET...

TIENS, BLONGO, VOUS TOMBEZ BIEN...

VOUS NE SAURIEZ PAS OÙ EST PASSÉE CIXI ?

VOTRE BELLE AMIE APPREND SANS DOUTE À APPRIVOISER MON PETIT PRÉSENT...

AH! LA VOICI JUSTEMENT!

DITES, VOUS FAITES DES CADEAUX À MA FIANCÉE ?

PRINCE, CE NELSHÄ EST EXTRAORDINAIRE !

C'EST UNE CRÉATURE VENUE D'UN MONDE QUE JE CONNAIS BIEN, PATHACELSE. ELLE CHANGE DE FORME AU GRÉ DES VOLONTÉS DE CELUI QUI LA PORTE, CE QUI EN FAIT UN VÊTEMENT EXCEPTIONNEL ...UNE OSMOSE TÉLÉPATHIQUE.

PAR EXEMPLE, SI JE LA TROUVE UN PEU LONGUE, OU D'UN ROUGE TROP CLAIR ...

ET VOILÀ !

MFFFT ! C'EST ENCORE BEAUCOUP TROP LONG !

JE T'AI CONNUE MOINS PRUDE !

!

IL SERAIT TEMPS DE RÉGLER CETTE AFFAIRE DÉFINITIVE-MENT, BELLÂTRE DÉCOLORÉ, PIRATILLON DE PACOTILLE...

TU ME REGRETTES, HEIN ?

THANOS, MON CHOU, TU N'ES PAS MAUVAIS AU LIT...

...MAIS DANS LES PROPORTIONS COMME DANS L'IMAGINATION ET L'ENDURANCE, J'AI TROUVÉ BEAUCOUP MIEUX...

GLP...

..., AVEC EN PLUS UN SOUPÇON DE NAÏVETÉ PERVERSE QUI NE PEUT LAISSER UNE JEUNE FEMME INDIFFÉRENTE.

AHAHAH ! ELLE A AUTANT D'ESPRIT QUE D'ALLURE ! VOUS ME PLAISEZ BEAUCOUP, TRÈS CHÈRE !

CES SAUVAGEONNES ONT, À LEUR FAÇON RUSTIQUE, UN CERTAIN CHARME, IL FAUT LE RECONNAÎTRE.

!

?

SANS DOUTE, AUSSI, SAVENT-ELLES JU-GER UN HOMME ?

TOC!

OH, DÉSOLÉE, J'AI GLISSÉ.

HEEEY!

JAMAIS ON NE M'A...

DOUCEMENT, MESDAMES!

AINSI, DHELLU, C'EST SUR CES JEUNES HUMAINS QUE VOUS COMPTEZ, POUR CONTRER LA MENACE DES DOLPHANTES?

LES DOLPHANTES?!?

UNE RACE TERRIBLEMENT HOSTILE ET DÉSAGRÉABLE, QUI POSSÈDE DE NOMBREUX MONDES SUR LA BORDURE DE LA GALAXIE.

ILS ONT DES POUVOIRS PSY ET SONT TRÈS AGRESSIFS.

ET... EN QUOI SOMMES-NOUS CONCERNÉS?

VOUS AUSSI AVEZ DES POUVOIRS PSY! MON CONSORTIUM A CRÉÉ TROY POUR ÇA!

QUE GAGNERONS-NOUS EN ÉCHANGE?

UNE VIE D'AVENTURES, DE RICHESSES ET...

...DE POUVOIR!

PARFAIT!

MONSIEUR REPRENDRA-T-IL QUELQUE CHOSE?

KIX

ÇA

JE NE CROIS GUÈRE À VOS CHANCES, JEUNES GENS.

ON DIT QUE DES REBELLES D'ABRAXAR VOUS ONT DÉJÀ ATTAQUÉS...

UN INCIDENT TOUT À FAIT MAÎTRISÉ, MON CHER.

LANFEUST! ATTENTION!

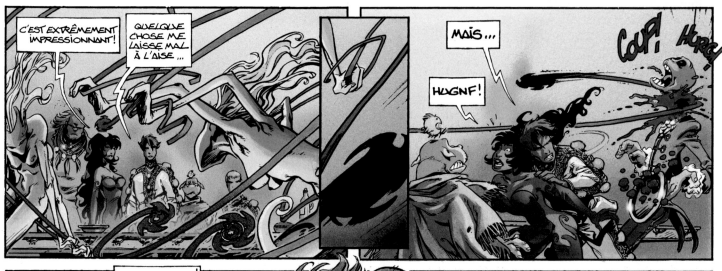

11

J'EN AVAIS GARDÉ UN POUR L'INTERROGER MAIS J'AI OUBLIÉ DE LUI LAISSER DES CORDES VOCALES...

CHUIS DISTRAIT, DES FOIS.

HOK! HOK! HOK!

CES MAGICIENS DE TROY SEMBLENT EXTRAORDINAIREMENT RAPIDES ET PUISSANTS !

ATTENDONS L'ISSUE DES TESTS ET ANALYSES POUR NOUS PRONONCER.

FORMIDABLE, LE NELSHÄ : IL FAIT MÊME LES ACCESSOIRES !

MES AMIS, JE SUIS NAVRÉ POUR CE DÉSAGRÉMENT.

UNE ENQUÊTE VA ÊTRE ORDONNÉE ET LES RESPONSABLES DE LA SÉCURITÉ SERONT CHÂTIÉS !

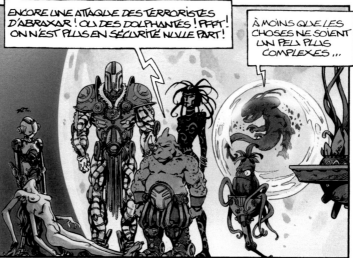

ENCORE UNE ATTAQUE DES TERRORISTES D'ABRAXAR ! OU DES DOLPHANTES ! PFFT ! ON N'EST PLUS EN SÉCURITÉ NULLE PART !

À MOINS QUE LES CHOSES NE SOIENT UN PEU PLUS COMPLEXES...

LE PRINCE LADHAL A RAISON. MIRLIPILI, LA SITUATION EST INTRIGANTE.

SWIIP ?!?

NOUS VOUS AVONS CHERCHÉ TOUTE LA JOURNÉE ET...

DÉSOLÉ, MIRLIPILI ! J'AVAIS UNE AFFAIRE IMPORTANTE À RÉGLER.

VOUS AURIEZ DÛ M'EN PARLER, JE M'EN SERAIS OCCUPÉ POUR VOUS !

C'EST FORT AIMABLE MAIS L'OBJET EN ÉTAIT PERSONNEL.

ORGNOBI SWIIP, DES REPRÉSENTANTS DE MA SOCIÉTÉ VOUS ONT RETROUVÉ ET EXTRAIT DE LA STASE OÙ VOUS ÉTIEZ RETENU.

LÉGALEMENT, VOUS APPARTENEZ DÉSORMAIS À MON CONSORTIUM ET TOUTE AFFAIRE VOUS CONCERNANT ME PRÉOCCUPE ÉGALEMENT.

JE CONTESTE CE POINT, ALTESSE.

MIRLIPILI.

CONTESTATION ?

LE JUGEMENT DU PRÉVÔT EST NÉCESSAIRE, CHERS COLLÈGUES !

ILS VEULENT FAIRE DES ENNUIS À SWIIP ?

ATTENDONS DE VOIR...

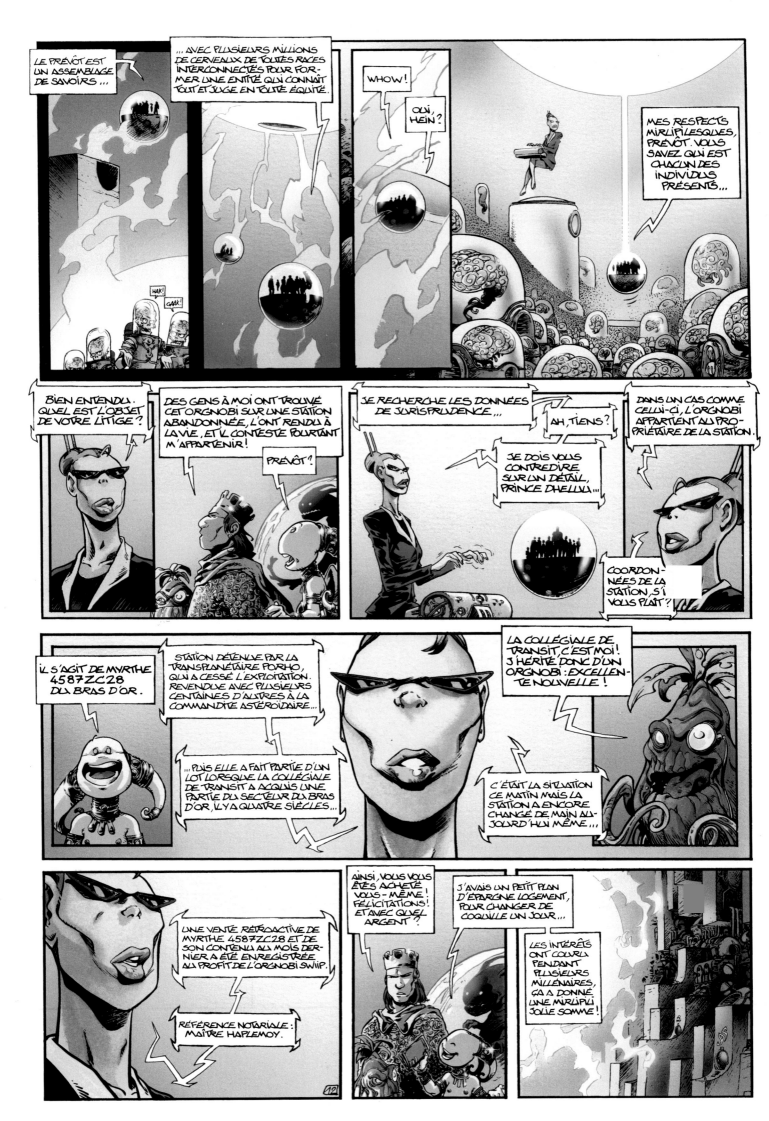

SUR MEÏRRION, TOUT EST GRAND. SURTOUT CE QUI APPARTIENT AUX PRINCES MARCHANDS. LE PALAIS DU PRINCE DHELLUS COMPTE DEUX CENT QUATRE-VINGT-SEPT PIÈCES, DONT PLUS DE CENT CHAMBRES POUR LES INVITÉS...

TU NE DORS PAS ?

ON EST DEPUIS TROIS JOURS SUR UN NOUVEAU MONDE ET C'EST À PEINE SI ON A PU METTRE LE PIED EN DEHORS DE CETTE DEMEURE !

D'AILLEURS, PAR UN JEU DE PORTES SUBESPACES ASTUCIEUSEMENT SITUÉES, CERTAINES DES PIÈCES DU PALAIS SONT EN RÉALITÉ À DES MILLIERS DE LIEUES DE LÀ ! DES SALONS DONNENT SUR LES DÉSERTS DE MOAB'DUN, DES BALCONS SURPLOMBENT LES OCÉANS DE SKELL...

JE VOUDRAIS DÉCOUVRIR LES RUES, LES MARCHÉS, LES TAVERNES, LES VRAIS HABITANTS DE MEÏRRION !

ON NE NOUS A PAS INTERDIT DE SORTIR...

OUI, MAIS ON FAIT TOUT POUR NOUS CONFINER DANS CES APPARTEMENTS.

CE SOIR, JE FAIS LE MUR !

IL VAUT MIEUX QUE JE T'ACCOMPAGNE.

IL FAUT BIEN QUELQU'UN POUR TE PROTÉGER !

NELSHÄ, MON CHOU...

ET HOP ! COLLECTION HAUTE COUTURE POUR FEMME ACTIVE !

JE NE VOIS PAS LE BAS. ON TENTE DE SE GLISSER LE LONG DES LIANES ET APRÈS ON CHERCHE LA RUE ?

ÇA ME RAPPELLE LES ESCAPADES QUE JE FAISAIS SANS QUE PAPA NE S'EN APERÇOIVE...

HIHI ! C'IAN N'OSAIT JAMAIS !

J'AI TOUT ENTENDU ! VOUS SORTEZ BOIRE UN COUP !

JE VIENS !

BLONGO, VOUS ÊTES DE LA VIRÉE ?

OH NON ! JE..., J'AI TROP PEUR !

MOI, JE VOUS GUIDERAI. JE CONNAIS QUELQUES ESTAMINETS DE BON ALOI...

ILS ONT BOUGÉ.

TRÈS BIEN. NE LES QUITTEZ PAS. UNE OCCASION PEUT SE PRÉSENTER.

OUI! ILS SE DIRIGENT VERS LA VILLE BASSE.

PARFAIT. MISE EN PLACE DU DISPOSITIF.

BIP BIP BOP BIPO

BIP BOP BIP!

NUL NE SE SOUVIENT PLUS D'OÙ VIENT LE NOM DE LA TAVERNE DU QUAI FOU. C'EST UN PEU NORMAL : L'ÉTABLISSEMENT EST OUVERT JOUR ET NUIT, SANS DISCONTINUER DEPUIS PLUS DE ONZE MILLE ANS.

EN FAIT, C'EST UN GENRE DE PARADIS, POUR UN TROLL. 11763 FAÇONS DE SE DÉSALTÉRER!

MIRLIPILI!

RARES SONT LES CLIENTS QUI LES ESSAYENT TOUTES EN UNE NUIT.

C'EST LE REPAIRE DES MARINS DE L'ESPACE, DES JEUNES NOBLES EN QUÊTE D'AVENTURE, DES MALANDRINS DE TOUS POILS ET DES FILLES TARIFÉES. ON Y CROISE AUSSI DES TOURISTES ÉGARÉS ET DES ESCROCS RAVIS.

CHAQUE ANNÉE, UN NOUVEL ALCOOL DE PROVENANCE EXOTIQUE EST RAJOUTÉ À LA CARTE.

UN PETIT RÉAJUSTEMENT POUR M'ADAPTER À L'AMBIANCE...

NELSHÄ...

JE NE M'EN LASSE PAS! LE CADEAU DU PRINCE EST FORMIDABLE!

MOUAIS...

MOI, IL NE ME PLAÎT PAS TROP, CE TYPE.

C'EST MIGNON, D'ÊTRE JALOUX...

..., ET TU AS RAISON DE L'ÊTRE : JE LE TROUVE CRAQUANT, CE PRINCE DHELLU.

OUAIS ...UN PEU EMPÂTÉ, QUAND MÊME, IL DOIT GRIGNOTER TROP DE COCHONNERIES.

J'EN FERAIS BIEN MON PETIT QUATRE HEURES !

DIS DONC ! ET MOI, ALORS ?

MAIS LANFEUST, JE NE T'AI JAMAIS PROMIS D'ÊTRE FIDÈLE !

JE T'AIME, BIEN SÛR. MAIS ÇA NE SIGNIFIE PAS QUE JE VAIS ME PRIVER DE PETITS PLAISIRS JUSQU'À LA FIN DE MES JOURS !

AH, TIENS ! ET DANS CE CAS, POURQUOI JE NE POURRAIS PAS M'AMUSER, MOI AUSSI ? POURQUOI EMPÊCHES-TU GLACE DE M'APPROCHER ?

AH, POUR LES GARÇONS, C'EST PAS PAREIL !

POUR NOUS, LES FILLES, C'EST JUSTE SEXUEL, C'EST SANS IMPORTANCE !

ALORS QUE VOUS, LES GARÇONS, VOUS ÊTES SI SENTIMENTAUX...

C'EST TRÈS DIFFÉRENT.

ÇA N'A RIEN À VOIR.

MRFFT...

ENFIN, VOYONS ! TOUT LE MONDE LE SAIT !

EH BIEN MOI, JE NE SUIS PAS D'ACCORD !

GLOUP!

SI TU ME TROMPES, C'EST QUE TU NE M'AIMES PAS.

SI TU NE M'AIMES PAS, JE TE TUE.

MAIS...

BON, MOI JE VAIS DANSER.

C'EST CHAUD, ICI !

GLOUP!

MERCI DE VOTRE SOUTIEN, LES COPAINS.

EYYYHHH!

EYYYHHH!

ENFIN...

AU LIEU DE VOUS CHAMAILLER, VOUS DEVRIEZ VOUS INQUIÉTER DE CE QUE PRÉPARE DHELLLU.

ON NE PART PAS SANS EUX !

KOGN!

ET D'UN !

JE VAIS LE RENDORMIR !

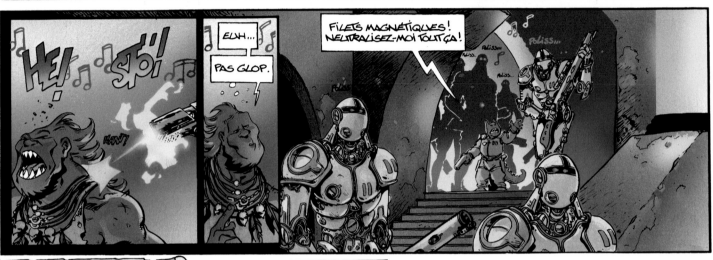

HE! STO!!

EUH... PAS GLOP.

FILETS MAGNÉTIQUES ! NEUTRALISEZ-MOI TOUT ÇA !

POLISS... POLISS... POLISS...

DEPUIS L'AUBE DES TEMPS ET SUR TOUS LES MONDES CONNUS, LES FORCES DE L'ORDRE ONT TOUJOURS AIDÉ DES CITOYENS UN PEU TROP JOYEUX À ÉLIMINER LES VAPEURS DE FIN DE SOIRÉE...

ÇA S'APPELLE UNE CELLULE DE DÉGRISEMENT.

DEBOUT, LÀ D'DANS !

HOULOULOU !

OUAIS, PAREIL !

VOUS ALLEZ COMPARAÎTRE EN PROCÉDURE DE JUGEMENT IMMÉDIAT POUR DÉGRADATION DE BIENS ET VIOLENCES PUBLIQUES !

MOINS FORT ! MA TÊTE, J'AI MAL !

VOUS, VOUS ÊTES ATTENDUS ! SUIVEZ-MOI !

TOUT CE QUE VOUS VOULEZ SI VOUS ARRÊTEZ DE CRIER.

CES ALCOOLS EXOTIQUES SONT TERRIBLES ! JE ME SOUVIENS QUE J'AI BU DEUX GORGÉES ET APRÈS PLUS RIEN...

QUELQU'UN SAIT POURQUOI ON EST LÀ ?

VOUS POUVEZ LES LIBÉRER, SERGENT. LE PRINCE SE PORTE GARANT.

?

EH OUI, LORSQU'ON FAIT LE MUR... IL NE FAUT PAS SE FAIRE ATTRAPER PAR LA PATROUILLE !

!

SALUT, CLOPORTE !

ON DIRAIT QUE J'AI PASSÉ UNE MEILLEURE NUIT QUE TOI !

UN PEU DE GALANTERIE !

HEY!

LA NUIT, C'EST LA NUIT, LE JOUR, C'EST LE JOUR...

MAUDITE FEMELLE !

clic!

ON NE ME TOUCHE QUE LORSQUE J'EN AI ENVIE, THANOS.

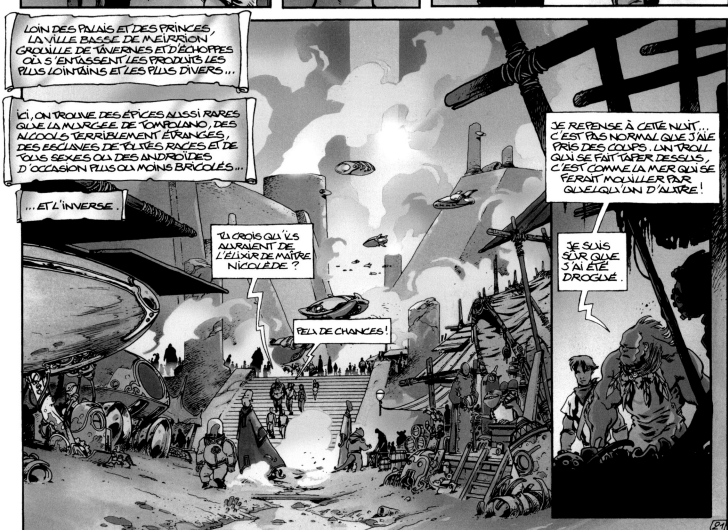

LOIN DES PALAIS ET DES PRINCES, LA VILLE BASSE DE MEIRRION GROUILLE DE TAVERNES ET D'ÉCHOPPES OÙ S'ENTASSENT LES PRODUITS LES PLUS LOINTAINS ET LES PLUS DIVERS...

ICI, ON TROUVE DES ÉPICES AUSSI RARES QUE LA MURGÉE DE TOMPOLANO, DES ALCOOLS TERRIBLEMENT ÉTRANGES, DES ESCLAVES DE TOUTES RACES ET DE TOUS SEXES OU DES ANDROÏDES D'OCCASION PLUS OU MOINS BRICOLÉS...

...ET L'INVERSE.

TU CROIS QU'ILS AURAIENT DE L'ÉLIXIR DE MAÎTRE NICOLÈDE ?

PEU DE CHANCES !

JE REPENSE À CETTE NUIT... C'EST PAS NORMAL QUE J'AIE PRIS DES COUPS. UN TROLL QUI SE FAIT TAPER DESSUS, C'EST COMME LA MER QUI SE FERAIT MOUILLER PAR QUELQU'UN D'AUTRE !

JE SUIS SÛR QUE J'AI ÉTÉ DROGUÉ.

21

DROGUÉS ? POSSIBLE : J'AI UN MAL DE TÊTE QUE JE NE SOUHAITERAIS MÊME PAS À THANOS !

LE DANGER RÔDE. VOUS AUTRES, TROYENS, ÊTES LE CENTRE DE BEAUCOUP TROP D'INTÉRÊTS !

PERSONNELLEMENT, J'ADORE ÇA.

EN FORME, JOLI ROUQUIN ? PARCE QU'AUJOURD'HUI TON PETIT CAMARADE ET TOI ALLEZ SUBIR DES TESTS SUR VOS POUVOIRS...

ENCORE ! ON M'A DÉJÀ FAIT ÇA À ECKMÜL. C'ÉTAIT TERRIBLEMENT ASSOMMANT !

JE NE PENSE PAS QUE TU T'ENNUIES, CETTE FOIS.

CE MINABLE A TOUJOURS PEUR DE TOUT...

GLACE, TU DEVRAIS CONVAINCRE LE PRINCE QUE CE PLEURNICHARD N'EST PAS UTILE.

AVEC LE POUVOIR QUI EST LE MIEN, ON N'A PAS BESOIN DE LUI.

MAIS...

OÙ SONT-ILS PASSÉS ?

OH, COMME C'EST JOLI !

PAS CHER

ÇA T'IRAIT TRÈS BIEN, ÇA, LANFEUST !

HUMPF !

C'EST PAS UN PEU GRAND ?

J'AI TROUVÉ CE QU'IL FAUT AVEC !

IL Y A DE LA ROUILLE, JE VAIS VOUS LA NETTOYER.

NETTOYER ? NE SOYEZ PAS OBSCÈNE !

KLAN !

ELLE MARCHE BIEN, HEIN ?

TAXI !

EN ROUTE, LES GARÇONS ! LE PRINCE VOUS ATTEND !

22

INDY EST LA PLUS PETITE DES LUNES DE MEÏRRION. TERRAIN DE JEU PRIVÉ DES TREIZE, ELLE EST DOTÉE D'UNE FORMIDABLE MACHINERIE QUI PERMET DE MODIFIER EN QUELQUES MINUTES LA CONFIGURATION DU TERRAIN ET LES CONDITIONS MÉTÉOROLOGIQUES...

AH! VOUS VOILÀ!

... EN UN MOT, C'EST UNE FORMIDABLE ARÈNE POUR ORGANISER DES SPECTACLES!

ET... POURQUOI ON A BESOIN DE NOUS ICI?

LES TESTS!

OUI, IL EST BIEN TRISTE DE RESTER TOUJOURS AU FOND D'UN LABORATOIRE...

...ICI, CE SERA PLUS AGRÉABLE. L'AIR EST PUR, LA LUMIÈRE EST BELLE.

MOI, ÇA ME VA.

ET... EN QUOI CONSISTENT LES TESTS?

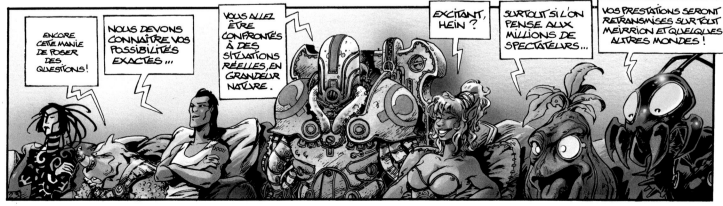

ENCORE CETTE MANIE DE POSER DES QUESTIONS!

NOUS DEVONS CONNAÎTRE VOS POSSIBILITÉS EXACTES...

VOUS ALLEZ ÊTRE CONFRONTÉS À DES SITUATIONS RÉELLES, EN GRANDEUR NATURE.

EXCITANT, HEIN?

SURTOUT SI L'ON PENSE AUX MILLIONS DE SPECTATEURS...

VOS PRESTATIONS SERONT RETRANSMISES SUR TOUT MEÏRRION ET QUELQUES AUTRES MONDES!

ÇA VEUT DIRE QUOI, RETRANSMISES ?

GRRNTXX !

ROÖXY !!!

RIR RIR RIR

LE PEUPLE DE MEIRRION EST FRIAND DE DISTRACTIONS. CETTE LUNE, INDY, SERT DE CADRE À DE NOMBREUX SPECTACLES...

...PAR EXEMPLE LES EXÉCUTIONS DE CRIMINELS, LES COMBATS D'ESCLAVES...

MAIS QUEL RAPPORT AVEC MON LANFEUST, JOLI PRINCE ?

LE CONSORTIUM A ENGAGÉ, DEPUIS DE TRÈS NOMBREUX SIÈCLES, DES SOMMES COLOSSALES DANS CETTE EXPÉRIENCE...

...POUR SAVOIR SI TOUT ÇA N'A PAS ÉTÉ FAIT POUR RIEN, NOUS DEVONS EXPOSER NOS SUJETS À QUELQUES DÉSAGRÉMENTS.

NOUS DEVONS COMPRENDRE COMMENT SE PASSE LA GESTION DES FLUX D'ÉNERGIE...

...À CERTAINS MOMENTS, VOUS POURREZ UTILISER VOTRE MAGIE, À D'AUTRES, UNE CRYPTE TONIQUE VOUS BLOQUERA...

...ET DANS TOUS LES CAS, LA CRYPTE PROTÉGERA CETTE PLATE-FORME, AU CAS OÙ L'UN DE VOUS SERAIT MAUVAIS JOUEUR...

JE N'AIME PAS ÊTRE MANIPULÉ COMME ÇA...

PAUVRE CLOPORTE !

IL NE PEUT RIEN SE PASSER DE GRAVE, N'EST-CE PAS ?

S'ILS NE SONT PAS CAPABLES DE SURVIVRE, ILS NE NOUS SONT PAS UTILES.

VOUS ÊTES PRÊT À LAISSER LANFEUST MOURIR !

JE DESCENDS.

T'AS RAISON, J'ARRIVE !

VLAN

OURGH !

26

27

IL SEMBLE QUE LE PRINCE D'HELLU EN PERSONNE VIENNE DE DONNER LE COUP D'ENVOI, JM'IMI.

TOUT À FAIT, TR'IRI.

RESTEZ PROCHES DE MOI!

C'EST ASSEZ DUR DE NE PAS S'ENVOLER...

MON ÉPÉE...

SHAZAM!

MALGRÉ TOUS VOS POUVOIRS, VOUS AVEZ BESOIN DE ÇA?!?

BEN... ÇA ME RASSURE. SANS ÉPÉE, JE ME SENS TOUT NU...

C'EST MA COQUILLE À MOI, QUOI!

T'ES VRAIMENT UN MINABLE, CLOPORTE!...

...PEUR DE QUELQUES GROSSES MOUCHES!

BLAST!

IL EN VIENT DE PARTOUT!

BLAST!

CES VOLATILES SONT FÉROCES, JM'IMI!

OUI, CE SONT DES GOULES DE BEISHA, LES PIRES! POURTANT, ELLES NE SEMBLENT GUÈRE POSER DE DIFFICULTÉS...

28

ON NOTE DÉJÀ DEUX STRATÉGIES DIFFÉRENTES, JM'INI ! THANOS EST PLUS AGRESSIF, ALORS QUE LANFEUST SE CONTENTE DE PROTÉGER SES AMIS...

CE N'EST PAS EN RESTANT PASSIF QU'IL TROUVERA LA PORTE...

PAR CONTRE, IL ÉCONOMISE SON ÉNERGIE...

YARRHHH !

VOUS ÊTES CERTAIN DE LA SOLIDITÉ DE CETTE CRYPTE TONIQUE, DHELLUU ?

IL EST IMPRES-SIONNANT !

ABSOLUMENT.

EH EH ! ÇA FAIT DU BIEN DE SE RETROUVER SOI-MÊME...

JE VOUS LAISSE, LES PLOUCS. LA PORTE M'ATTEND ET LA GLOIRE EST DERRIÈRE !

THANOS SEMBLE TRÈS DÉCIDÉ, JM'INI...

OUI, C'EST UN CONCURRENT CORIACE MAIS IL VA UN PEU VITE...

MAIS...

UNE DEUXIÈME VAGUE ATTAQUE !

JE NE PARVIENS PAS À METTRE LE BOUCLIER EN PLACE ! ILS NOUS ONT COUPÉS DE NOS POUVOIRS !

AAARGH !!

32

JUSQU'OÙ POUSSEZ-VOUS L'EXPÉRIENCE, DHELLU ?

ON NE CONNAÎT PAS UNE LIMITE TANT QU'ON NE L'A PAS ATTEINTE, MA CHÈRE.

IL NE S'AGIT PAS D'UN FROID ORDINAIRE, TR'IRI !

TOUT À FAIT, JM'IMI !...

...LE PRINCE DHELLU NOUS PRÉPARE UNE BELLE SURPRISE...

TRÈS INTÉRESSANT ! UN FROID TROP INTENSE SEMBLE RALENTIR LES FACULTÉS PSY.

J'AI L'IMPRESSION QUE MON CERVEAU GÈLE DE L'INTÉRIEUR !

VOTRE MAGIE NE POURRAIT PAS NOUS RÉCHAUFFER ?

MON POUVOIR EST COMME PRIS DANS UNE BANQUISE ! CHAQUE MOUVEMENT DEVIENT PLUS DIFFICILE...

C'EST PARCE QUE TU NE SAIS PAS TE BATTRE, CLOPORTE ! ON DOIT POUVOIR RÉSISTER !

UN SEUL TYPE DE CRÉATURE PEUT PRODUIRE UN EFFET PAREIL...

TU VEUX DIRE QUE C'EST UN ÊTRE VIVANT QUI GÉNÈRE CE FROID ?

BRR !...

ILS VIENNENT D'UN MONDE GLACIAL AUX FRONTIÈRES DE LA GALAXIE ; CE SONT DES VAMPIRES DE CHALEUR, ILS EN ABSORBENT CHAQUE PARTICULE À DES LIEUES À LA RONDE...

...ET LORSQU'ILS SE JETTENT SUR VOUS, LEURS TERRIBLES GRIFFES LACÈRENT VOS CHAIRS GELÉES EN CRISSANT...

POUR ÇA, ON VA VOIR !

GRR... RROANG!

GLm

HUK! HUK! HUK!

TAP TAP!

ÇA... ÇA RESSEMBLE À UN GENRE DE GROS CHAT MAIS AVEC PLUS DE DENTS, LES BESTIOLES EN QUESTION ?

PARCE QUE LÀ...

KKKRRAAA AARKZIIIM

MILLE ENCLUMES !

KRRAAAACKZZNN...!

LES STRYNX DE GIVRE !

KBR !

YAHAR ! BLAST !

MRWWiiiHHH !

INCROYABLE ! LE FEU N'ARRIVE MÊME PAS JUSQU'À EUX !

MÂCHE MÂCHE !! POI!

AÏRCZ ! AÏRCZ ! RÜRE !

ON DIRAIT QUE NOS AMIS DÉCOUVRENT LES POUVOIRS CALORIPHAGES DES STRYNX !

ON EN A FROID POUR EUX !

JE NE VAIS PAS ME LAISSER IMPRESSIONNER PAR DEUX MATOUS PELÉS !

THANOS, NOUS DEVONS UNIR CE QUI RESTE DE NOS POUVOIRS ! IL FAUDRAIT ATTEINDRE UNE SOURCE DE CHALEUR EXTÉRIEURE DANS LAQUELLE PUISER...

TU CROIS QUE TU VAS ME DONNER DES ORDRES CLOPORTE ?

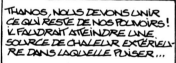

TU VAS TOI ME LAISSER ACCÉDER À TON ÉNERGIE ET JE FERAI CE QU'IL Y A DE MIEUX.

ATTENTION ! ILS ATTAQUENT !

ALORS, OCCUPE-LES !

MAIS...

33

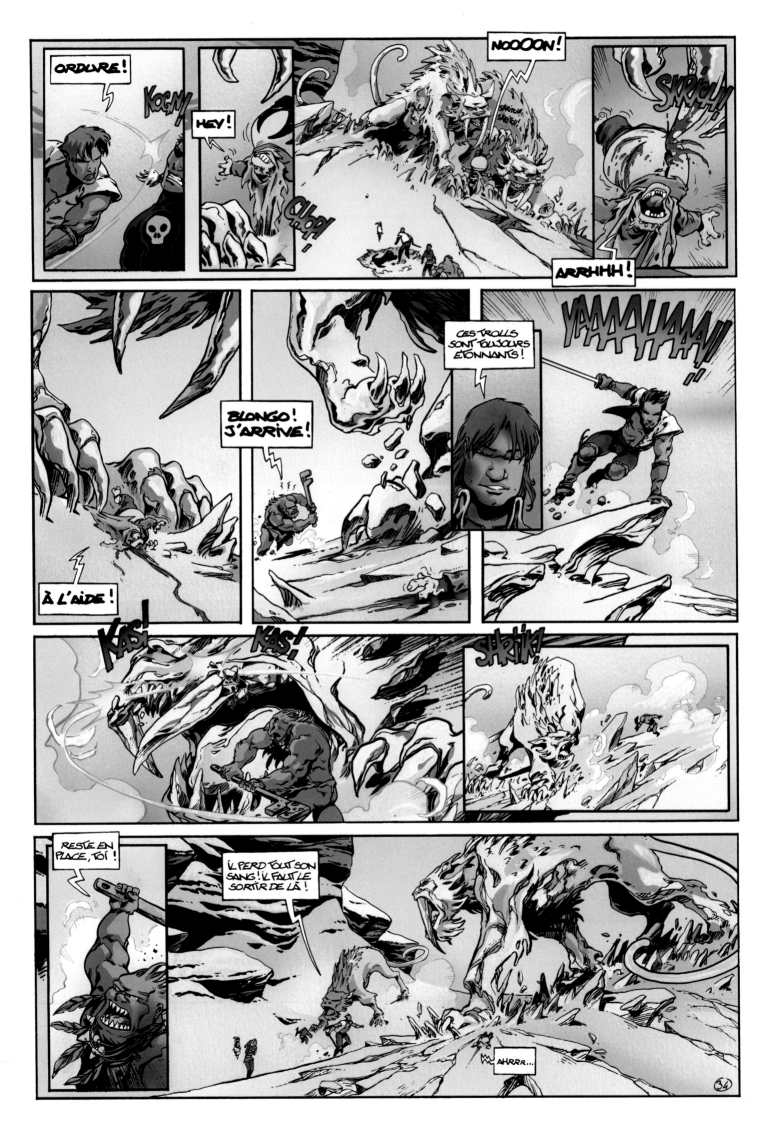

LANFEUST!
VOUS AVEZ RAISON,
IL FAUT UNE SOURCE
DE CHALEUR
EXTÉRIEURE!

LANFEUST, ÇA VA?

J'AI PEUT-ÊTRE
UNE IDÉE!

BLONGO!
IL L'A TUÉ!

EST-CE QUE VOS
POUVOIRS PEUVENT
ATTEINDRE DES
VAISSEAUX QUI
SONT LOIN DANS
LE CIEL?

ON PEUT
ESSAYER.

COMMENT VOUS
EXPLIQUER, C'EST
COMPLEXE ET PRÉCIS...
IL Y A DES CALCULS
QUE SEUL UN
ORGNOBI COMME
MOI PEUT FAIRE...

JE VAIS RENTRER
DANS VOTRE ESPRIT,
COMME ÇA JE
COMPRENDRAI.

SERS-TOI DE
THANOS. TOUTES
ÉCONOMISÉ, TU
ES PLUS FORT
QUE LUI.

MHH?

TU AS RAISON, TOUTES
LES RÉSERVES
D'ÉNERGIES SONT
BONNES À PRENDRE.

JE TE ...TUERAI,
CLOPORTE!

LE POUVOIR EST LÀ, À DEUX,
IL EST IMMENSE!...

CHAIS PAS CE QUE VOUS FAITES
MAIS GROUILLEZ-VOUS! BLONGO
N'A PAS SUFFI À LEUR COUPER
L'APPÉTIT, ET JE NE VAIS PLUS
LES TENIR TRÈS LONGTEMPS!

C'EST...
FANTASTIQUE!

OUI! JE PEUX
Y ARRIVER!

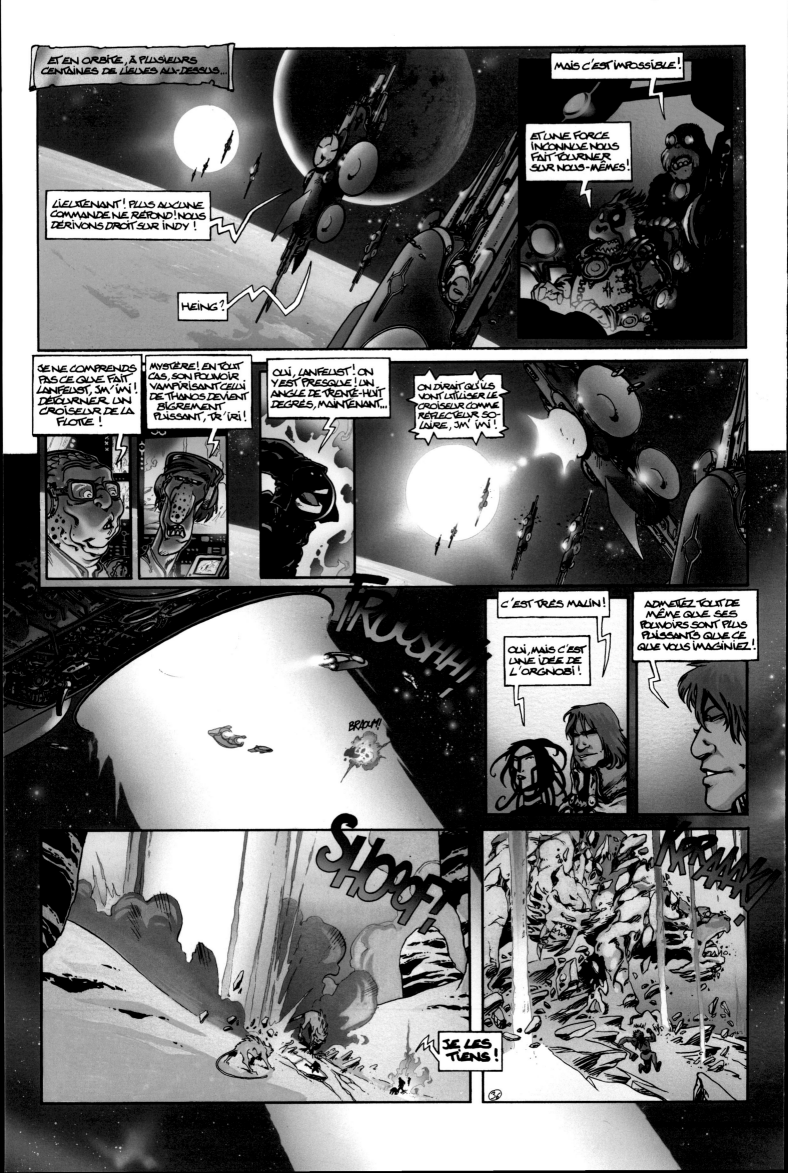

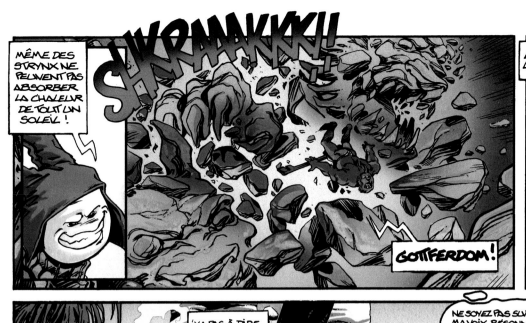

SHKRAAAKKK!

MÊME DES STRYNX NE PEUVENT PAS ABSORBER LA CHALEUR DE TOUT UN SOLEIL!

GOTTFERDOM!

ET T'AS FAIT QUOI, LÀ, EXACTEMENT?

BEN, C'EST UN VIEUX TRUC DE QUAND J'ÉTAIS PETIT. J'AI TROUVÉ UN BOUT DE FERRAILLE POUR REFLÉTER ET CONCENTRER CHALEUR ET LUMIÈRE DU SOLEIL!

'Y A PAS À DIRE, J'AVAIS JAMAIS EU AUSSI FROID!

OUAIS, C'ÉTAIT ENCORE PIRE QUE LES PIEDS D'UNE FILLE! TU SAIS, QUAND ELLES VEULENT LES RÉCHAUFFER EN TE LES METTANT LÀ...

NE SOYEZ PAS SURPRIS. MA VOIX RÉSONNE DANS VOTRE TÊTE, PERSONNE NE PEUT NOUS ENTENDRE. JE VEUX VOUS AIDER, IL FAUT FAIRE VITE... ÉCOUTEZ-MOI BIEN:

ÉCHAPPEZ-VOUS DÈS LE DÉBUT DE LA TROISIÈME ÉPREUVE. PLONGEZ DANS L'EAU DROIT DEVANT VOUS. UNE PORTE SE MATÉRIALISERA QUELQUES SECONDES. NE LA MANQUEZ PAS.

MAIS...

LANFEUST?

TOUT VA BIEN? TU FAIS UNE DRÔLE DE TÊTE!

JE..., NON, ÇA VA.

VOUS LEUR AVEZ PRÉVU QUOI, ENSUITE?

L'ADVERSAIRE QU'ILS AURONT À AFFRONTER UN JOUR OU L'AUTRE...

UN DOLPHANTE? VOUS DÉTENEZ UN DOLPHANTE EN CAPTIVITÉ?!?

COUP DE THÉÂTRE, JM'IMI! LE PRINCE DHELLY VA OPPOSER UN DOLPHANTE VIVANT À NOS AMIS!

LA PLUS TERRIBLE DES RACES INTELLIGENTES! LE POUVOIR PSY ALLIÉ À LA MÉCHANCETÉ ET LA BRUTALITÉ! L'ENNEMI QUI MENACE DE RENVERSER LA GALAXIE!

ÇA C'EST DU HÉROS MÉGA STAR!

'POUR ÇA QU'J'AI INVESTI!

MILLE ESCARPINS!

OH FUNÉRAILLES!

IL FAUT SE BATTRE CONTRE,... ÇA?!?

EST-CE QUE JE FAIS CONFIANCE À L'AUTRE VOIX? IL FAUT SE DÉCIDER VITE...

40

ÉTONNANT!

ILS ONT DISPARU!

PLUS PUISSANTS ENCORE QUE VOUS NE L'IMAGINIEZ!

A-T-IL LUI-MÊME GÉNÉRÉ UNE PORTE?

IL N'A PU FAIRE ÇA TOUT SEUL! IL Y A DES COMPLICITÉS!

!

J'ACTIVE LA CRYPTE! S'IL EST ENCORE SUR INDY OU SUR MEIRRION, IL EST DÉSORMAIS IMPUISSANT!

TDiig!

LANFEUST S'EST ENFUI MAIS JE NE CRAINS PAS DE CONTINUER L'ÉPREUVE!

AMENEZ-MOI THANOS ET FAÎTES NEUTRALISER LE DOLPHANTE.

AVEC PLAISIR, PRINCE.

LES TROYENS SONT HORS COURSE! C'EST MAINTENANT LA GARDE PERSONNELLE DU PRINCE QUI VA INTERVENIR...

FEU À VOLONTÉ!

BBLAST

SHRAM

QUELQUE PART SUR MEIRRION...

MAIS ON EST TOUJOURS SOUS L'EAU?!?

CES CRÉATURES! J'AI DÉJÀ VU ÇA!

!

APPLIQUEZ CES FILTRES SYMBIO-TIQUES SUR VOS ORIFICES RESPIRATOIRES.

HOF!

HIR! HIR! ÇA CHATOUILLE!

SUIVEZ-NOUS!

OUF! DE L'AIR!

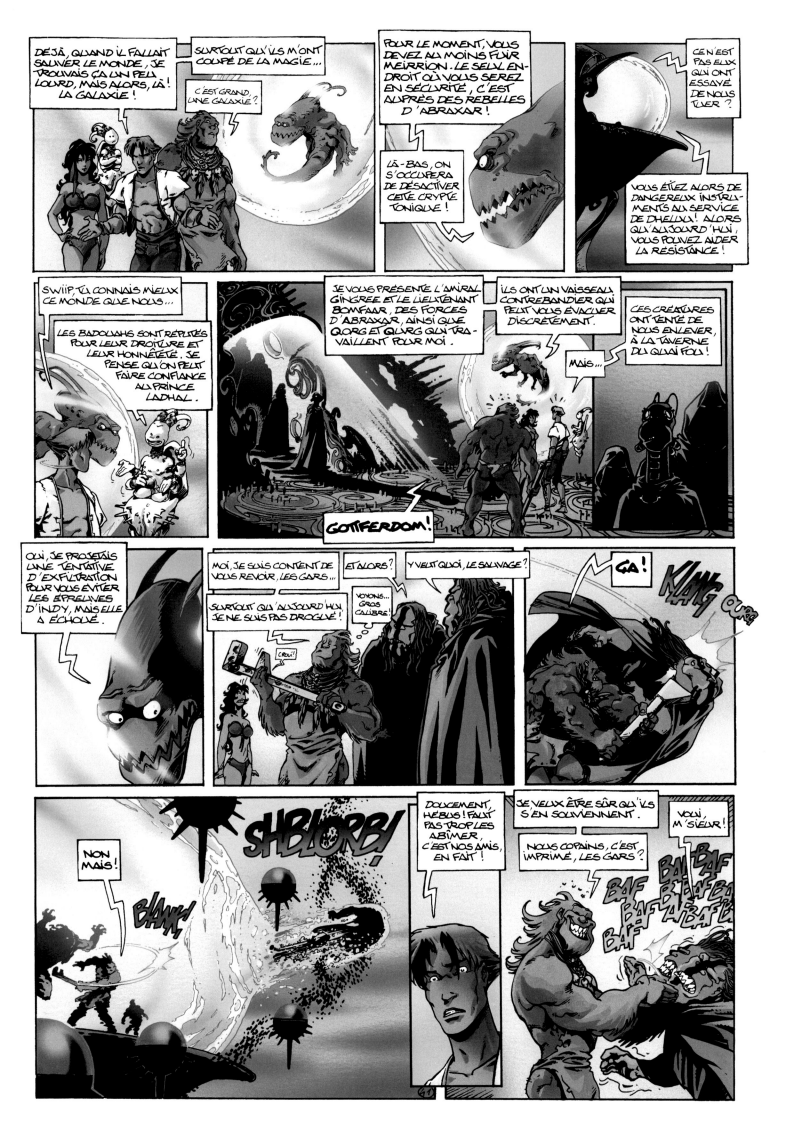

43

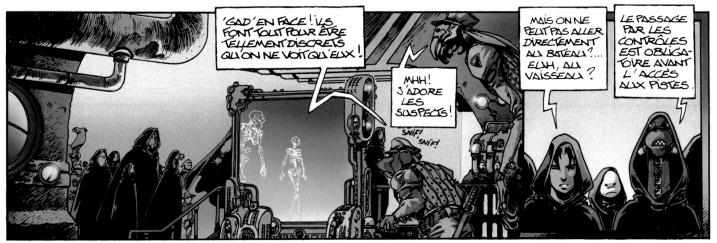

'GAD' EN FACE! ILS FONT TOUT POUR ÊTRE TELLEMENT DISCRETS QU'ON NE VOIT QU'EUX!

MAIS ON NE PEUT PAS ALLER DIRECTEMENT AU BATEAU?... EUH, AU VAISSEAU?

LE PASSAGE PAR LES CONTRÔLES EST OBLIGATOIRE AVANT L'ACCÈS AUX PISTES.

MHH! J'ADORE LES SUSPECTS!

SNIF! SNIF!

ILS VÉRIFIENT QU'ON NE CACHE RIEN D'ILLÉGAL À L'INTÉRIEUR DE NOS ARMES!

TZZ

BZZT

CZZ

APRÈS LE FILTRAGE, ON LES SERRE ET ON LES INTERROGE!

CHIC!

EYH! ÇA PIQUE! C'EST QUOI, CET INSECTE?

ZT.. DZT

PRÉLÈVEMENT POUR ANALYSE GÉNÉTIQUE. ON EST TOUS FICHÉS.

DZT...

RR/T/154/ZSER/3265-/15-8574 TROLL ORIGIN TROY 0000000000000000-1 65 125/15-98854-2/FRJU/32 PREMIER FICHAGE 8854-2

AÏEU!

PIC!

MAIS... C'EST IMPOSSIBLE!

???????ALERT??????????

CREATURE INCONNUE/79 ORIGINE NON HUMAINE/5 code type 859/X-B147/47 1542-98577-FREX/68798

LANFEUST! VOTRE SANG! INCROYABLE!

OUCH!

ON PASSE EN FORCE!

OUAIS, BONNE STRATÉGIE.

UN INSTANT, VOUS, LÀ!

YAARRHH!

HULK!

SPROCH!

43

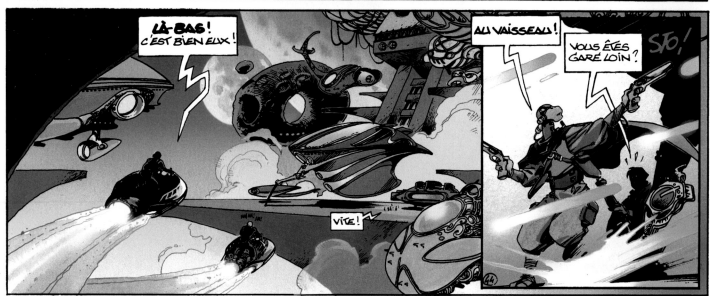